Queridos lectores:
Me disculpo por el comportamiento de Chester en mi historia del ratón.
Perdonen las molestias.
Atentamente,
Mélanie Watt
¡Bla! ¡Bla! ¡Bla!
M. Watt

Para ~~Marcos~~, Eva, Melina y Layla

Para Chester porque sin él no podría haber hecho este libro. Es el gato más inteligente y guapo del mundo. ¡Quisiera ser como él!

Watt, Mélanie
Chester / Texto e ilustraciones Mélanie Watt ; tr. María Cristina Vargas
— México : Ediciones SM, 2010 [reimp. 2012]
29 p. : il. ; 29 x 25 cm.

ISBN : 978-607-471-508-8

1. Cuentos canadienses. 2. Gatos — Literatura infantil. 3. Humor — Literatura infantil
I. Vargas, María Cristina, tr. II. t.

Dewey 813 W3818 2010

Coordinación editorial: Laura Lecuona
Traducción: María Cristina Vargas
Diagramación: Marina Mejía

Chester
Título original: *Chester*
Primera edición D. R. © Kids Can Press Ltd.
D. R. © Texto e ilustraciones: Mélanie Watt, 2007
Publicado con el permiso de Kids Can Press Ltd.,
Toronto, Ontario, Canadá

Primera edición en México, 2010
Primera reimpresión, 2012
D. R. © SM de Ediciones, S. A. de C. V., 2010
Magdalena 211, Colonia del Valle,
03100, México, D. F.
Tel.: (55) 1087 8400

ISBN 978-607-471-508-8
Miembro de la Cámara Nacional de la Industria Editorial Mexicana
Registro número 2830

Chester
se terminó de imprimir en noviembre de 2012
en Tien Wah Press
89, Jalan Tampoi,
Kawasan Perindustrian,
Tampoi 80350,
Johor Bahru,
Malaysia.

NO

Escrito e ilustrado por Mélanie Watt

ediciones sm

Había una vez un ratón. Vivía en una casa en el campo.

Y luego Ratón empacó sus cosas y se fue a un viaje muy, muy lejos, ¡y nunca más lo volvimos a ver!

¡Bye,
bye,
Ratoncillo!

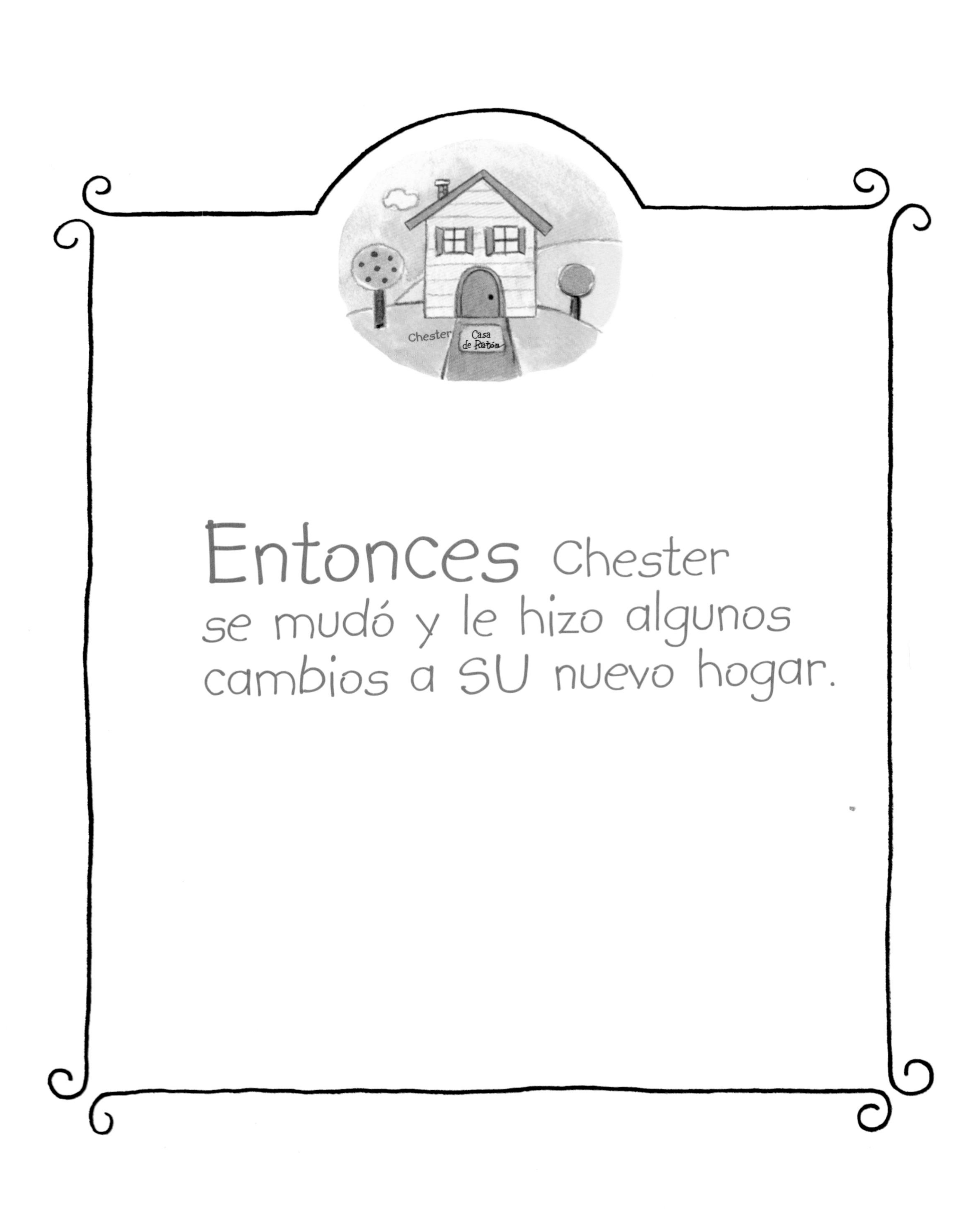

Entonces Chester
se mudó y le hizo algunos
cambios a SU nuevo hogar.

Hogar
dulce
hogar
de Chester
MIS
cortinas
Silla
de
Chester

Pero Ratón regresó a casa.

Por cierto, ¿les dije que se trajo un recuerdito muy grande y con dientes?

Hogar dulce hogar de Chester
MIS cortinas
AEROLÍNEA

Volviendo a la historia...

Había una vez un ratón.

Vivía en... ¡Chester, hazte a un lado!

...vivía en el campo con su perro vegetariano que comía puras zanahorias.

Entonces Mélanie le suplicó a Chester que escribiera una mejor historia, que va más o menos así...

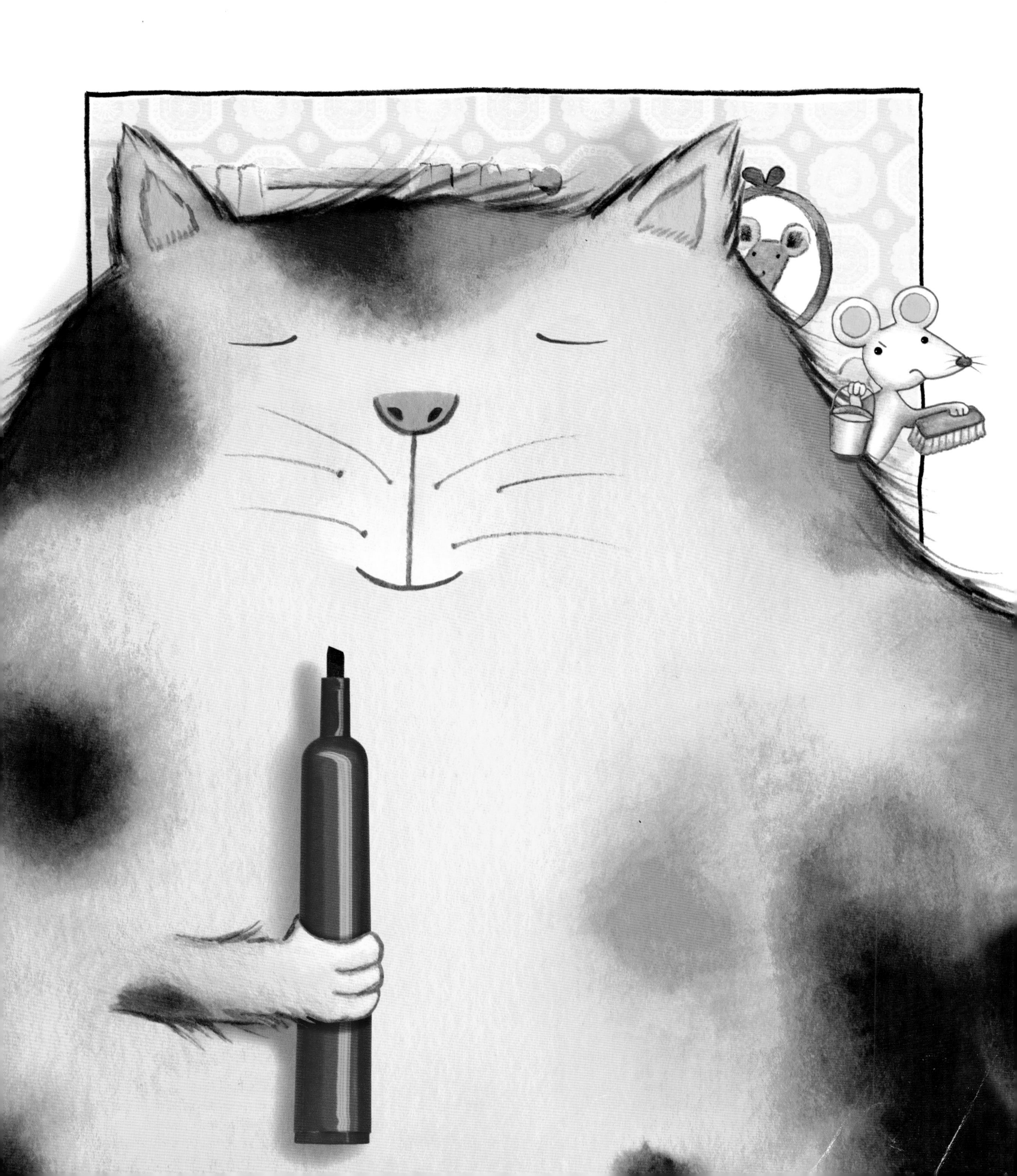

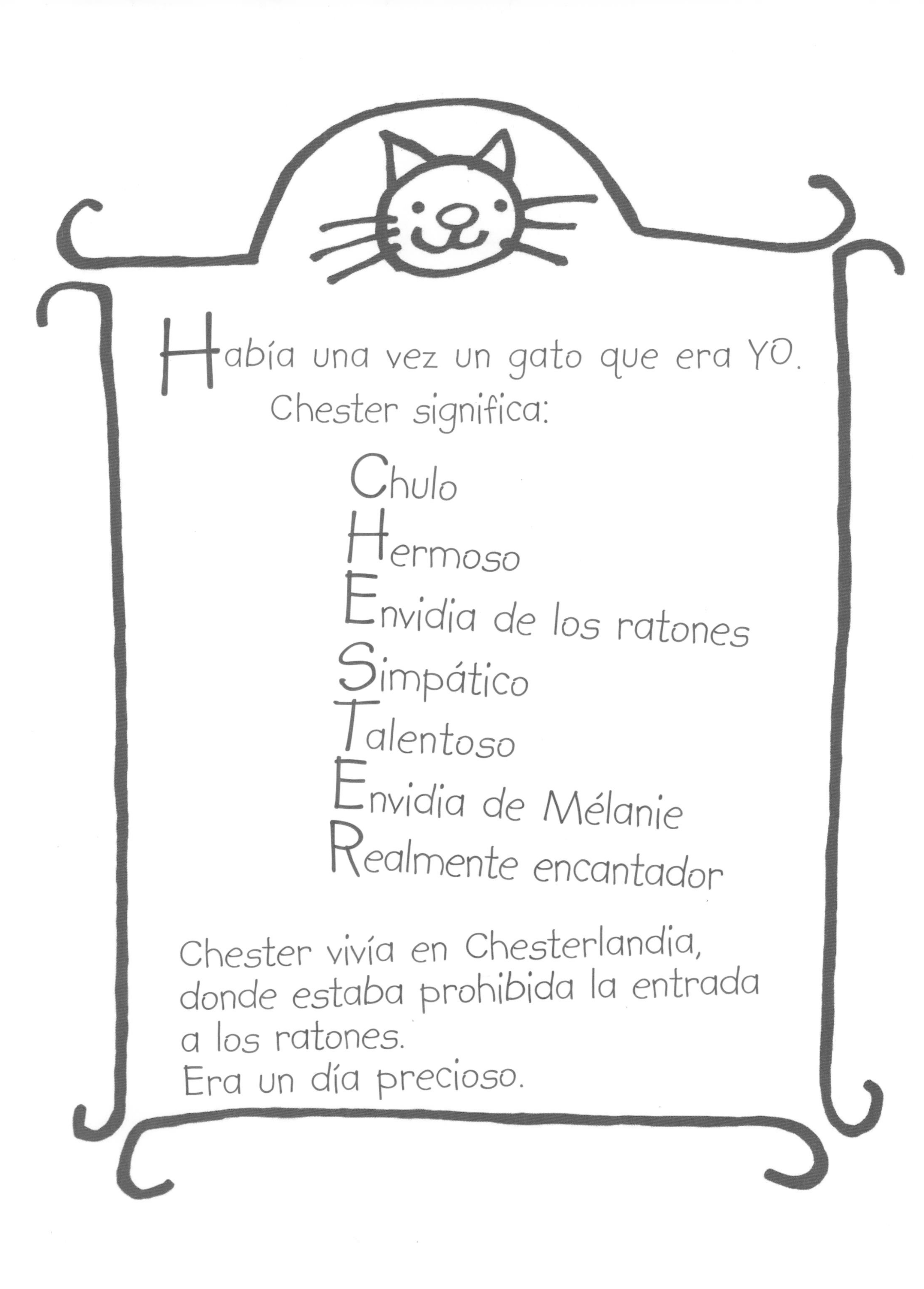

Había una vez un gato que era YO.
Chester significa:

Chulo
Hermoso
Envidia de los ratones
Simpático
Talentoso
Envidia de Mélanie
Realmente encantador

Chester vivía en Chesterlandia,
donde estaba prohibida la entrada
a los ratones.
Era un día precioso.

#1
CHESTER

Hasta que empezó a llover...

Bueno, como les estaba diciendo...

Había una vez un ratón.

Vivía en una casa en el campo.

Y vivió feliz para siempre...

¡FI

N !
¡Así no puedo trabajar!

¡Chester!

¡Ya estuvo bueno! ¡Pinto mi raya!

¡No, no, no!
¡YO estoy
pintando
mi raya!

¡NO PASARSE de esta raya!

¡FUERA DE AQUÍ!...
(lado de Chester)

¡**Chester!** ¡Basta ya!

¡Devuélveme ese plumón en este instante!

Chester está ocupado.

Hola. Soy Mélanie ¡y estoy muy ENOJADA!
Hola. ¡Soy un aburrido y estoy celoso de Chester!

¡Chester! ¡Te lo advierto!
¡Dame acá el plumón y discúlpate
antes de que cuente hasta tres!

1...

2...

3 y 4, 5, 6, 7, 8, 9, 10, 11, 12,

13, 14, 15, 16, 17, 18, 19, 20, 21... ¡La! ¡La! ¡La!

¡Muy bien, Chester!

¿Quieres tu propio cuento?

¿Quieres ser la estrella de este libro?

Bueno, prepárate. Aquí va ...

¡¡¡YA ERA HORA!!!

Había una vez un gato
llamado Chester.
Vivía en una casa en el campo.

HOGAR
DULCE
HOGAR
de Chester
ATÚN

Chester era un gato muy guapo.
Sobre todo cuando se ponía un
coquetísimo...

¡¡¡NO TE ATREVAS!!!

¡Tutú!

¿Pero qué tienen contra mí?...

historia
ratón de